Is le
an leabhar seo

Céard a Tharla idir Mamaí agus Daidí?

Jennifer Moore-Mallinos

Maisithe ag Marta Fàbrega

Leagan Gaeilge le Tadhg Mac Dhonnagáin

Is cuimhin liom an t-am a
raibh mo Mhamaí agus mo
Dhaidí an-mhór le chéile.
Dhéanaimis gach rud le chéile.
Oíche speisialta ba ea oíche
Dé Sathairn i gcónaí.
Bhímis ag imirt cluichí, nó
ag féachaint ar scannán.
Ach pé rud a bhíodh ar siúl,
bhímis á dhéanamh le chéile. .

Ach ansin, thosaigh rudaí ag athrú. Bhí Mamaí agus Daidí ag déanamh dearmaid conas a bheith mór le chéile. Uaireanta, dhúisíodh mé go deireannach san oíche. Bhíodh Mamaí agus Daidí ag argóint. Ní raibh a fhios agam cén fáth, ach bhíodh siad an-chrosta lena chéile. Ansin, chloisinn Mamaí ag caoineadh.

Uair ar bith ar tharla sé sin, chuaigh mise i bhfolach faoin bpluid. Chuireadh mé an piliúr thart ar mo chloigeann, ag iarraidh an troid a choinneáil amach uaim. Agus cé go mbíodh mé in ann an argóint a chloisteáil fós, d'airigh mé níos fearr nuair a bhí mé i bhfolach faoin bpluid.

Bhí a fhios agam go raibh
Mamaí agus Daidí ag déanamh
dearmaid conas a bheith mór
le chéile, mar bhíodh cuma
bhrónach orthu go minic.
Níor labhair siad lena chéile
móran níos mó. Tháinig
deireadh le hoíche Dé
Sathairn mar oíche
speisialta. Ní raibh
gáire ar bith sa
teach níos mó.

Lá amháin, chonaic mé Mamaí ina suí ar a leaba, ag caoineadh léi féin. Bhí cuma an-uaigneach uirthi. Ní raibh a fhios agam conas í a dhéanamh sásta arís. Thug mé gráín di agus stop sé sin an caoineadh.

Bhí a fhios agam go cinnte nach raibh Mamaí agus Daidí mór le chéile níos mó nuair a d'fhág Daidí. Chuir sé a chuid éadaí isteach i mála mór agus d'imigh sé. Tá teach aige istigh sa bhaile mór anois. Sular fhág sé, thug Daidí gráín mór dom. Bhí sé ag caoineadh. Dúirt sé liom go raibh grá mór aige dom. "Feicfidh mé gach lá tú" a dúirt sé.

Anois, bhí mise ag caoineadh chomh maith. Cheap mé gur ormsa a bhí an locht go raibh an rud seo tar éis tarlú. An é go raibh mé dána? – an é sin an fáth go raibh Mamaí agus Daidí ag troid? Nó an é nach raibh mé ag obair sách crua ar scoil? Conas a d'fhéadfainn iad a dhéanamh mór lena chéile arís? "Ní ortsa atá an locht" a dúirt Mamaí agus Daidí liom, arís is arís eile. Ach mar sin féin, cheap mé go raibh mé tar éis rud éigin mícheart a dhéanamh.

3
P
170

"Beidh grá agamsa agus ag Mamaí i gcónaí duit" arsa Daidí "is cuma cá mbíonn cónaí orainn". "Uaireanta, tarlaíonn sé go réitíonn an Daidí níos fearr leis an Mamaí nuair a bhíonn cónaí orthu i dtithe éagsúla" a dúirt Mamaí liom.

Agus bhí an ceart acu! Tar éis do Dhaidí teach eile a fháil, thosaigh rudaí ag athrú idir é féin agus Mamaí.

Ní raibh Mamaí ná Daidí chomh brónach céanna níos mó. Nuair a chonaic mise é sin, bhí mé féin beagán níos sásta chomh maith.

Anois tá dhá theach agam! Caithim seachtain amháin le Mamaí agus seachtain eile le Daidí. Tá seomra deas agam sa teach nua atá aige siúd agus níl sé i bhfad ón teach eile. Bím ag léamh san oíche le Mamaí seachtain amháin, agus ag spraoi le Daidí seachtain eile. Bímid ag gáire go minic anois.

Ar laethanta móra, ar mo bhreitlá, cuir i gcás, tagann Daidí ar cuairt chugam féin agus Mamaí. Bíonn mo chairde ar fad ann. Bímid ag imirt cluichí nó ag breathnú ar scannán. Bímid ar fad ag gáire le chéile. Cé nach bhfuil Mamaí agus Daidí ina gcónaí sa teach céanna níos mó, tá an triúr againn fós mór lena chéile. Bíonn an t-am a chaithimid le chéile an-speisialta.

Rinne mo Mhamaí agus mo Dhaidí dearmad conas a bheith mór le chéile, ach fós féin tá grá mór acu dom. Is iad mo Mhamaí agus mo Dhaidí i gcónaí iad. Agus cé nach bhfuil cónaí orainn sa teach céanna níos mó, táimid níos sásta ná mar a bhí. Ní bhíonn aon argóint ann níos mó.

Tugann Mamaí agus Daidí an-aire dom i gcónaí.
Tugann siad cúnamh dom leis an obair bhaile.
Tugann siad aire dom má bhím riamh tinn.
Nuair a bhíonn cluiche camógaíochta agam,
tagann an bheirt acu ag breathnú orm ag imirt.
Tá an-ghrá agam do mo Mhamaí agus do
mo Dhaidí. Agus beidh i gcónaí.

Nóta do na daoine fásta

Scar mo chuidse tuismitheoirí nuair a bhí mé óg. Ag an am sin, níor thuig mé an scéal. Níor thuig mé na cúiseanna a spreag mo thuismitheoirí le scaradh óna chéile. I dtosach, chuir mé an milleán orm féin. Chaith mé go leor ama ag iarraidh a oibriú amach cén drochrud a bhí déanta agam a chuir tús leis an trioblóid go léir.

Is cuimhin liom i gcónaí an lá ar shuigh Mam síos liom le míniú a thabhairt dom ar an méid a bhí tar éis tarlú. D'éirigh léi go leor den bhuairt a bhí orm a bhaint díom. D'éirigh léi mé a stopadh ó bheith ag cur an mhilleáin orm féin.

Anois agus mé i mo dhuine fásta, agus mé ag obair mar oibrí sóisialta le go leor páistí a bhfuil a gcuid tuismitheoirí scartha, tuigim an gá atá ag páistí a scéal féin a thuiscint. Tuigim go bhfuil sé de cheart ag gach páiste a chuid mothúcháin a chur in iúl agus meas agus tuiscint a bheith ag daoine eile ar na mothúcháin sin.

Is í an aidhm atá le "Nuair a Scar Mamaí agus Daidí" ná aitheantas a thabhairt don bhuairt agus don bhrón a bhíonn ar pháistí nuair a thagann athrú mór ar shaol an teaghlaigh.

Jennifer Moore-Mallinos

Céard a Tharla idir Mamaí agus Daidí?

Foilsithe den chéad uair © 2005 ag Gemser Publications S.L.
Barcelona, An Spáinn, faoin teideal
"Cuando Mis Padres Se Olvidaron de Ser Amigos".

Leagan Gaeilge © 2009 Futa Fata – an chéad chló

Clóchur Gaeilge: Anú Design

ISBN: 978-1-906907-00-6

An Chomhairle um Oideachas
Gaeltachta & Gaelscolaíochta

Gabhann Futa Fata buíochas le COGG – An Chomhairle um Oideachas Gaeltachta agus Gaelscolaíochta as ucht chúnamh airgid a chur ar fáil d'fhoilsiú na sraithe "Bímis ag Caint Faoi".